1

Entre la realidad y el Yo
Edition 2024

Arantxa Abad

Entre la realidad y el Yo

Le dedico esta obra a mi familia, mis padres, mis hermanas y especialmente a mi abuela. Sin ustedes no sería quien soy. También quiero dedicarla a todas esas personas que siempre han buscado su razón en este mundo.

PRÓLOGO

Esta obra contiene mi ser, con todas mis experiencias, todas las personas que he conocido y todo lo que la vida me ha enseñado a través de lo que he vivido. Quise escribirla para todas las personas que viven una vida de sufrimiento sin saber el porqué. He escrito cosas que me han ayudado a superar los momentos más difíciles. Además de que me han guiado a obtener una visión más verdadera del mundo y nuestro entorno.

Con este libro, no solo aprenderás a ver tu exterior de una manera diferente, también te ayudará a encontrarte a ti mismo. Cada uno de los capítulos te abrirá los ojos hacia cosas que desconocías y hará que vivas una vida más plena con relaciones más sanas. Tanto como con los demás como contigo mismo.

Creo que todo lo que está hecho con amor y esfuerzo resulta siempre en algo maravilloso. Por eso también quise utilizar un lenguaje sencillo en el que sientas que estás hablando con un amigo cercano. Una cosa que me gusta mucho de este libro es que cada persona que lo ha leído se queda con algo diferente, como si lo que verdaderamente necesitaban les hubiera llegado a sus manos.

Léelo cuantas veces quieras. Siempre encontrarás algo nuevo y singular en él, detalles a los que no les habías prestado atención antes. Cada vez cambiarás tu visión, te transformarás en alguien diferente, así que sentirás su contenido de manera distinta.

Disfruta cada parte de él, desde el principio hasta el final, verás que todo habla sobre ti. Comprenderás tus emociones, encontrarás tu razón para vivir, aprenderás a amarte a ti mismo o misma, vivirás por ti y por lo que deseas en verdad. Espero que cada parte te sea provechosa. Y sin mucho más que decir, confío en que encuentres lo que necesitas.

ÍNDICE GENERAL

Capítulo 1

Buscando la autenticidad en un mundo de conformidad

Los seres humanos siempre hemos buscado la razón de nuestra existencia. Nos pasamos la vida buscando ese algo en cualquier parte, tratando de llenar ese vacío interior con lo que la sociedad y la cultura que crecemos nos dicen que es el éxito.

Tal sociedad nos dice que, para lograr tener algún sentido en este mundo, debemos poseer una carrera universitaria. Ser personas estudiosas en algún ámbito, conseguir bienes materiales, ser reconocidos. O trabajar toda nuestra vida para alcanzar algo que nunca encontraremos ahí fuera, ni en ninguna de esas cosas, vacías y sin sentido.

Además de forzarnos a ser y conseguir todo eso, debemos, de alguna manera, lograr ser mejores que los demás. Debemos buscar destacarnos entre todos a nuestro alrededor o no somos especiales y no poseemos el suficiente valor para este mundo. No valemos lo suficiente si no logramos lo suficiente.

Y eso es todo lo que somos y seremos. La vida se convierte en una competencia que nunca conseguiremos ganar. Nos forzamos de una manera inhumana para lograr encajar y lograr pagar para poder vivir. Porque nuestra vida no es suficiente y tenemos que probar a diario que en realidad valemos algo. Tenemos que pagar un costo demasiado grande simplemente por estar vivos.

Este mundo nos ha manipulado hasta tal punto que la vida nos ha convertido en simple recursos para satisfacer los bolsillos de los más ricos. Vivimos en un mundo de desigualdad, porque el ser humano siempre ha sido dominado por su ego. Siempre nos hemos sentido tan insuficientes que, para ocultar lo vacíos que nos sentimos, creamos un sistema en el que, si conseguimos ser ricos y estar por encima de otros, sentiremos que de verdad somos valiosos.

Desde que nacemos, ya estamos condenados a vivir con las normas de la sociedad. Se nos enseña qué pensar y cómo hacerlo, qué está bien y qué está mal. Hemos sido domesticados de la misma manera en que domesticamos a nuestras mascotas. Somos como perros y gatos actuando en un circo, siendo controlados por una audiencia, tratando con todas nuestras fuerzas de salir y liberarnos.

Somos domesticados desde nuestra llegada a este mundo, con un sistema de recompensa y castigo. Si nos portamos bien, recibimos un premio; de lo contrario, seremos castigados. Luego, vamos por la vida buscando esa satisfacción que nos diga que estamos haciendo las cosas bien, buscando la atención y aprobación de cualquiera allá afuera. Porque nunca nos sentimos completos ni creemos que estamos viviendo como deberíamos.

Hacemos todo para seguir manteniendo un sistema injusto, que trabaja con términos absurdos y sin ningún sentido. Pasando de generación en generación un libro de reglas que crean seres que no tienen la oportunidad de vivir y ser libres. Y las seguimos con los ojos cerrados. Regalamos algo tan valioso como la vida, sin cuestionarnos si todo lo que hemos aprendido y nos han enseñado es lo correcto.

Rompe tus ideas de lo que supones que es la realidad, incluso sobre lo que crees que eres tú. Quiero que veas cómo todo a nuestro alrededor nos moldea como personas y crea la manera en la que vemos el mundo. Piensa, ¿de qué manera cambiarías si no tuvieras las mismas creencias ni pensamientos? ¿En quién te convertirías si hubieras nacido en otra cultura, país o continente? Imagínate a ti mismo como una semilla, que dependiendo del suelo, ambiente, sol o agua que recibas puedes crecer mucho, poco o incluso nada.

Si hubieras nacido en un país de escasos recursos, en el que crees que la única manera de sobrevivir es matando y robando a otros, porque es lo único que conoces y es lo que tu ambiente te ha obligado a ser.

Te das cuenta de lo que es la realidad y de cómo todo a tu alrededor te ha creado a ti mismo. Todo tu ser y tus pensamientos se han formado por la religión, creencias sociales y culturales. Incluso tu forma de vestir, tus cosas favoritas y hasta tu vida diaria. Estás rodeado de personas, con ideas de cómo deberías ser, amigos, familia, profesores, vecinos… Si piensas en cómo todo eso puede definirte a ti mismo e incluso a tu conocimiento del mundo, puedes ver todo de manera muy diferente.

Antes de ser domesticados, cuando éramos niños, solíamos ver el mundo sin juicios y limitaciones. Percibíamos las cosas por lo que son y por las innumerables formas en las que podrían ser. Nuestra mente no tenía límites. La vida poseía una magia y sensaciones únicas. Antes que nada, teníamos curiosidad por el mundo, nuestras únicas preocupaciones eran con que nos divertiríamos en el momento. Demostrábamos amor cuando realmente lo sentíamos, si no nos agradaba alguien era algo obvio. Éramos sinceros, éramos reales.

Cuando éramos niños, veíamos cosas tan comunes como una silla y las convertíamos en fortalezas que hacíamos con sábanas y almohadas, o incluso una nube en el cielo nos parecía algo tan maravilloso. Hemos dejado de disfrutar de las maravillas de la vida y no vemos todas esas pequeñas cosas que de verdad valen la pena.

Ahora, como adultos, solo somos una enciclopedia, con detalladas descripciones explicando para qué sirven las cosas, cómo se usan, cuál es su propósito y como deberían ser. Nuestra mente cerrada no nos permite disfrutar y apreciar de verdad la vida.

Nos convertimos en robots que solo se encargan de cumplir órdenes. Sin alma y sin vida, en trabajos que nos consumen, porque ya no trabajamos para vivir, nacemos y vivimos para trabajar. Y ni siquiera trabajamos en algo que nos guste, solo buscamos cualquier cosa para poder generar dinero, porque es lo único que realmente importa en este mundo. Deberíamos vivir haciendo algo que nos haga sentir vivos.

Estamos tan adiestrados que creemos que todo tiene que ser exactamente como nos lo enseñaron o lo aprendimos. Si nos llegará otra idea diferente, podríamos llegar hasta pensar que estamos locos y que el mundo no es así. Tenemos tantos juicios y críticas de todo lo que no cumpla con nuestro reglamento, incluso llegamos a juzgarnos a nosotros mismos y a los demás.

Dejamos de ser personas y nos transformamos en personajes con papeles que cumplir. Proyecta en tu mente la imagen de cómo piensas que debe verse un profesional, cómo debería vestirse, actuar o ser. Seguro piensas en una persona de traje, bien vestida y elegante. Ahora, imagina cómo debería verse una persona que comete delitos: tatuajes por todo el cuerpo y cara, una persona que se ve ruda. Es simplemente nuestra percepción de cómo deberían ser las cosas. Porque nos atrevemos a juzgar y criticar a alguien que no cumpla con nuestro manual del mundo. Por eso, no imaginaste a un abogado con tatuajes, aretes o perforaciones. Estaría mal, porque eso no sería lo correcto para un profesional, y si los llevara significaría que es igual a un delincuente. Pero el exterior de una persona no determina su capacidad y no define quien es en realidad.

No somos abogados, doctores, ingenieros, empresarios, mucamas, vendedores, arquitectos o lo que sea, somos personas, que deciden dedicarse a esas cosas. Así que no debería importar cómo alguien luce, debería seguir siendo respetado por quién es él, por sus méritos y su personalidad. Porque al final, somos seres que piensan, sienten, que tienen sueños y deseos. Tenemos derecho a vivir y elegir como hacerlo. Tenemos derecho de ser libres, de ser felices con las cosas que nos hacen felices sin ser juzgados.

Estamos programados a ver las cosas de un modo, sin pensar si es cierto o deberían de ser así verdaderamente. Nos hemos acostumbrado tanto a que las cosas sean como son, que no nos imaginamos que poseemos innumerables maneras en las que podríamos mejorar el mundo. Incluso reconstruir todo nuestro sistema de creencias, políticas, académicas, de empleo o sociales. Tal vez crear una vida que sea para disfrutarla, en lugar de un tormento que tengamos que soportar. Construir algo que sea realmente bueno para nosotros, no solo para unos cuantos y no simplemente conformarnos con un sistema en el que solo pocos son beneficiados.

Pero todo estaba diseñado incluso antes de que nacieras o que pensaran siquiera en concebirte, ya estabas destinado a convertirte en otro más. La única manera de liberarte es aprender a cuestionarte el mundo y todo lo que crees que es la realidad. Porque no hay verdades absolutas sobre nada, todo y todos somos simples percepciones. La realidad solo existe dependiendo de quién la mire, de cómo la mires tú. Así que aprende a razonar, no te limites a copiar y repetir todo lo que escuchas.

Somos pájaros enjaulados por el mundo, con alas poderosas pero limitadas por los barrotes de nuestra percepción de la realidad. Rompe esos límites que tienes impuestos, date cuenta de que nunca nada ha sido blanco o negro y no hay molde alguno del que realmente estemos obligados a ser.

Podemos ser quienes queramos, como queramos, podemos vivir la vida siendo libres. Podemos conseguir ser felices y tener una vida plena, porque todo lo que siempre has buscado ha estado en ti todo este tiempo. Necesitamos aprender a vivir, no solo a existir, y aprovechar cada segundo que nos es regalado en esta tierra. Si estás dispuesto a ello, debes eliminar las expectativas que tienes de ti mismo y no darle importancia a las expectativas que tienen los demás.

No creas todas esas mentiras, no eres alguien insuficiente o bueno para nada, no eres tonto, no eres mala persona, tampoco un cobarde, o débil. Solo eres lo que has decidido tomar de las experiencias que se han presentado a tu vida, lo que te enseñaron tus padres, tus profesores, la religión, tus amigos o el mundo.

Te has convertido en pequeños trozos que has decidido tomar de todos ellos, pero también en lo que has decidido convertirte de acuerdo a todas tus decisiones. No tienes la culpa de que el mundo esté dañado. Así que no te sientas insuficiente, porque naciste en un mundo en el que realmente no se valora lo importante.

Me gusta comparar la realidad con la caverna de Platón, permíteme explicarte. Esta es una alegoría de todo lo que ya has leído, y te ayudará de alguna manera a comprender la importancia del conocimiento.

Esta caverna está dividida en diferentes partes. En lo más profundo, se encuentran unas personas encadenadas, las cuales no pueden mirar a otro lado que no sea una pared donde son reflejadas sombras de figuras y monstruos. Esto les hace pensar que eso es todo lo que existe allá afuera, y viven tan aterrados que nunca llega a su cabeza la idea de poder escapar.

Más adelante, se encuentra una pared que los divide de otra zona. Allí otras personas están manipulando las sombras. Estas sombras son elaboradas para hacerles creer que el mundo es peligroso y seguir manteniéndolos esclavizados para su propio beneficio.

Un día, uno de los esclavos encadenados es liberado y se ve forzado a cruzar al otro lado. En ese momento, se desmorona todo su concepto sobre la realidad, al descubrir que los monstruos que los habían asechado toda su vida solo eran sombras formadas por otras personas con fuego y figuras.

Pero él no puede quedarse allí, así que es obligado nuevamente a ir más allá de la caverna. Asciende por una pendiente escarpada y finalmente logra salir. Al hacerlo, ve de cosas que su mente ni siquiera había concebido que existieran. Nunca había visto el sol, el cielo o los árboles. Así se dio cuenta de que vivir encadenado y aterrorizado no era la única opción que tenía. Existía un mundo que desconocía, lleno de posibilidades. La vida podría convertirse en algo bueno.

Al presenciar todo esto, entra nuevamente para liberar a sus compañeros de sus cadenas. Pero estos, al no haber visto lo que él vio y al aferrarse a la idea de que la única realidad son esas sombras, simplemente se burlan de él, diciendo que sus ojos se habían estropeado por la luz.

Estamos aquí, en esta caverna social y cultural, en la que creemos que todo lo que nos rodea es la verdad absoluta. En un entorno en el que incluso juzgamos a otras culturas y personas simplemente por ser diferentes a cómo creemos que deberían ser las cosas.

Podemos llegar a tal punto de llamar locos a otros, como aquellos esclavos, porque nos aterra admitir que en realidad no sabemos nada del mundo y nos sentimos perdidos.

Puede ser difícil creerlo en este momento, pero somos como los esclavos encadenados en la caverna, viendo esas sombras y suponiendo que son lo único que existen. Pero aún hay esperanza. Tienes el poder para liberarte de esos adoctrinamientos que tienes sobre la vida, los demás o incluso sobre ti mismo. Quizás puedas descubrir, de alguna manera, lo que realmente buscas en la vida, sin ser influenciado por nada ni nadie.

Imagina un mundo en el que ya no tengas que sufrir, en el que decides ser de verdad feliz. Porque la vida se trata de cumplir tus sueños y esperanzas. Esta experiencia maravillosa solo está para vivirla, para sentirla, para amar y ser amado.

Ahora que conoces la verdad, tienes la oportunidad de crear la obra de tu vida en un lienzo blanco y sin guías. Descubre quién eres en realidad, observa el mundo con los ojos de la verdad y encuentra lo que es la verdadera felicidad para ti. Todos podemos hacerlo, solo necesitamos quitarnos las cadenas.

"El pez nunca descubre que vive en el agua. De hecho, como vive inmerso en ella, su vida transcurre sin advertir su existencia. De igual forma, una conducta que se normaliza en un ambiente cultural dominante, se vuelve invisible"

-Michel Foucault

Capítulo 2

El descubrimiento del yo

Si deseas descubrir la verdad del mundo, tienes que descubrir la verdad en ti. Para poder lograrlo, el primer paso es mirarte al espejo, pero no de la manera que crees que debes hacerlo. Necesitas verte a ti mismo desde el interior. ¿Cuál es tu autoconcepto? ¿Quién eres? ¿Todo lo que crees es algo verdadero o solo una ilusión? ¿Eres realmente tú o una simple sombra de tu yo autentico? Puede que todo lo que supongas de ti mismo, no sea en realidad verdad. Incluso todos los conceptos que tienes sobre ti son falsos, ideas que has adquirido de alguien más y transformado en tuyas.

Quizás todo empezó desde que éramos niños. Nos empezaron a poner límites que nos han hecho replantearnos, si vale la pena intentarlo. Un simple comentario nos hizo pensar que no éramos lo suficientemente capaces en algo, y por ello llegamos a creer que no éramos lo en realidad buenos. Por fallar alguna vez y por la opinión de otros, nos rendimos y nunca volvimos a intentar. Dime, ¿cómo has traicionado a tu verdadero ser? ¿Cuántas mentiras te has repetido a ti mismo? ¿Cuántas de ellas has vuelto parte de ti?

Dentro de nosotros existe una esencia que es solo nuestra. Poseemos algo único en nuestro interior, así como una luz con su propio brillo e intensidad. Pero, por alguna razón, hemos decidido ocultarla y encerrarla en lo más profundo de nuestro ser. Porque tenemos miedo a no cumplir las expectativas de cómo deberíamos ser. Tenemos temor a ser juzgados, rechazados, nos carcome el miedo a estar solos y no ser amados.

Hemos tomado la decisión de moldearnos al mundo. Creemos que debemos apagarnos a nosotros mismos para evitar el sufrimiento; pensamos que es lo mejor para nosotros y que es la única opción que tenemos en nuestras manos. Porque si no logramos cumplir con el papel que creemos que debemos asumir, entonces algo tiene que estar mal en nosotros. Nos ponemos máscaras para que nadie tenga la posibilidad de conocernos, para que nadie tenga la oportunidad de entrar en esa coraza impenetrable que llevamos puesta.

Pero encerrarnos y ocultarnos no sirve para nada. No importa cómo seas o lo que hagas con tu vida, porque nadie nunca podrá ver la verdad en ti. Las ideas que tenemos del mundo hacen que cada uno llevemos nuestros propios lentes sobre la realidad. No vemos la realidad por lo que en verdad es, la vemos por lo que creemos que es.

Todos a tu alrededor tienen una versión única sobre ti en sus cabezas, incluso podrían ser totalmente distintas unas con las otras. Porque en no vemos a los demás por quienes son, siempre nos vemos a nosotros mismos en ellos. Todo a tu alrededor, todas las personas, todos tus conceptos son simples percepciones. La única persona que puede conocerte verdaderamente eres tú. Porque puedes verte a través de esas apariencias, sabes quién eres debajo de todo lo que haces para ser aceptado.

Actuamos de esta manera porque le tememos a la vida y a ser lastimados, sin darnos cuenta de que a la única persona que puede hacernos daño somos nosotros mismos. Vivimos preocupados por el qué dirán, cuando realmente no importa para nada las opiniones de los demás. Ni lo bueno o malo, nada de eso importa, nadie verdaderamente puede verte, solo ven lo que tienen dentro de sí mismos.

Intenta verlo de esta manera, como si fuéramos computadoras con archivos para ordenar nuestras creencias, pensamientos, emociones y juicios. Si conocemos a alguien nuevo, lo metemos en uno de estos archiveros con características específicas de lo que creemos que es esa persona, no por lo que realmente es. Nos convertimos en jueces y verdugos sin siquiera conocer a los demás; decimos "parece que es de esta o tal manera". Después, solo vemos esas cualidades que hemos presupuesto, porque creemos que fue lo que vieron nuestros ojos, no por la realidad.

Pero, al fin y al cabo, solo tú sabes todo lo que has pasado en tu vida. Eres el único que te has visto reír, llorar, caer y levantarte una y otra vez. Solo tú sabes las veces que has sufrido y las veces que te has desmoronado por completo. Solo tú entiendes cómo has tenido que transformarte y ser más fuerte para que la vida no te devore por completo. Son cosas que nadie nunca sabrá, y nadie podría experimentar lo que tú has sentido en tus momentos más difíciles.

Observamos el mundo por todo lo que hemos visto y lo que hemos vivido en él. Todo lo que creemos del exterior se transforma en nuestra única realidad. Por eso existen tantas ideas y versiones sobre una misma cosa; dentro de nuestra cabeza existe un universo único. Tienes tu propia versión de la vida. Podrías creer que el mundo es cruel, porque eso es lo que te ha tocado vivir, o verlo como un lugar maravilloso, porque has tenido más oportunidades y privilegios en la vida.

Estamos tan seguros de que esa verdad que percibimos es absoluta, que juzgamos todo lo que no esté de acuerdo con ella. Queremos someter todo nuestro alrededor a nuestras creencias, para así estar conformes con la vida. Los seres humanos siempre queremos tener la razón en todo, como si eso nos diera algún tipo de superioridad o satisfacción.

Comparamos todo con nuestro propio medidor mental. Esto es malo o esto es bueno, esto es feo o es lindo, eres maleducado porque a mí no me han tratado así, o eres buena persona porque, en comparación como me tratan, tú me tratas mejor. Pero al final, todo solo son percepciones y nuestras propias ideas de la realidad. El mundo cambia según los ojos que lo miren.

De la misma manera que juzgamos todo lo que nos rodea, decidimos también hacerlo con nosotros mismos. Porque nunca creemos que somos como deberíamos ser y todo lo que no esté a la altura de nuestras expectativas será juzgado. Nos culpamos por no ser quienes creemos que debemos convertirnos, por no ser ese ser 'perfecto'. Es triste que la persona que más te conoce, aquella que sabe todo lo que has atravesado, sea la que más te juzgue. Siempre hemos hecho lo mejor que hemos podido de acuerdo a quienes éramos en ese momento.

Nos hemos llenado de tantas críticas que se ha creado dentro nuestro un parásito que absorbe todo lo bueno que intentamos construir, encerrándonos en una jaula para dejar de ser nosotros mismos. Nos crea inseguridades y miedos, haciendo que nos perdamos de disfrutar la vida y de ser verdaderamente felices.

Sé que todos hemos escuchado esa vocecita interna que nos dice que no somos nadie, que no valemos para nada y que nunca lograremos ser suficientes. Es una voz llena de prejuicios y críticas que solo sigue alimentando a ese monstruo, haciéndolo más y más fuerte hasta llegar a consumirnos totalmente.

Nuestro juez interno está creado por el concepto de perfección que llevamos dentro, influenciado por nuestro entorno, nuestra sociedad y cultura, así como por todos esos programas, medios de comunicación y redes sociales que consumimos. Todos ellos se han encargado de crear nuestra imagen del mundo, llevándonos a compararnos y creer que debemos alcanzar todos esos estándares.

Creemos que debemos ser superhumanos completos, exitosos, y perfectos. Pero al ver y darnos cuenta de que nunca alcanzaremos esas expectativas, nos juzgamos y criticamos, porque nunca lograremos cumplir con tantos requisitos. Luchamos de manera incansable para sentirnos seres suficientes y personas de valor para el mundo.

Pero no nos sentimos conformes con hacer de nuestra vida miserable, también tenemos esta necesidad de juzgar a los demás por tampoco cumplir con nuestra versión de la realidad. No toleramos la diferencia. Observamos en las redes sociales una gran cantidad de comentarios negativos sobre la apariencia física o el comportamiento de los demás. Todo porque deseamos que se ajusten a esa idea ilusoria e inalcanzable de nuestra mente.

Anhelamos que todo y todos sigan las reglas de nuestro mundo interior, y nos sentimos ofendidos cuando algo o alguien no cumple con nuestras expectativas. Actuamos como si tuviéramos el derecho de cambiar a todos, para ver si de alguna manera logramos aceptarnos a nosotros mismos.

Es hora de que sepas que la perfección no existe y nunca seremos perfectos. Somos humanos, todos somos diferentes y únicos. Todos creemos que nuestra definición de perfección es la correcta y que así debería ser el mundo. Pero es algo imposible porque no hay un medidor absoluto que determine lo que es la perfección; solo son nuestras perspectivas e ideas que nos hemos creado como humanidad.

Ya deja de pensar que necesitas cambiarte a ti mismo para ser valioso. No creas que debes cambiar tu cuerpo, ser más delgado, perder o ganar más peso, para cumplir estándares. Que los hombres deben ser altos y fuertes y las mujeres pequeñas y débiles. Creemos incluso que un color de piel nos puede hacer superiores a otros y que todo lo que nos hace ser nosotros son imperfecciones.

Es la mayor estupidez que he escuchado, no tiene sentido que seamos todos iguales. Es como si deseáramos que todas las flores fueran idénticas, cuando la belleza está en que cada una es maravillosa porque es única. Si lo piensas, no decidiste nacer con tu cuerpo y no existe un lugar en el que antes de nacer, cada uno selecciona las cualidades que desea tener.

Y así nos pasamos la vida luchando con algo que no tenemos control. Es una pelea por aceptarnos que nunca tiene fin. Pero no debes culparte tanto por como luces; no eres simplemente un cuerpo, eres el ser que está en su interior. No vales más o menos por cómo te veas físicamente.

Nos obsesionamos tanto con un cuerpo que está en constante cambio, buscándole durante toda nuestra vida defectos e imperfecciones. Al único cuerpo que nos mantiene vivos, que nos permite respirar y sentir lo que es la vida. Desperdiciamos nuestro valioso tiempo con cosas sin importancia.

Si lo piensas, ni siquiera somos nuestros pensamientos, porque hasta nuestra forma de pensar puede cambiar en un instante. Además, muchas de esas ideas ni siquiera son tuyas; son conceptos creados por los otros. Entonces, si no somos nuestro cuerpo ni tampoco nuestros pensamientos, ¿quién somos en realidad? Somos esa conciencia que reside dentro, ese ser que lo observa todo, el que contempla desde fuera, el que percibe la verdad. Somos esa presencia que razona y es consciente de su propia existencia.

¿Por qué le damos tanta importancia a lo que no es nuestra esencia verdadera? Esa cima que tenemos que alcanzar, ese molde al que todos debemos ajustarnos, son simplemente tonterías creadas por nosotros mismos. Por esto, siempre están en constante cambio, porque va cambiando el pensamiento humano y el mundo espera que tú también vayas tras ellos siempre y te adaptes. Corremos una carrera imposible de ganar, para conseguir premios vacíos.

Nos han hecho concentrarnos tanto en lo externo, que nunca nos detenemos a fijarnos en quiénes somos internamente. Estamos tan obsesionados en conseguir ser como todos los demás que nos olvidamos de ser nosotros mismos. Deja de concentrarte tanto en tu exterior y sentirte superior o inferior a otros por ello. Porque ¿de qué vale que te veas como la persona más hermosa del mundo, cuando por dentro eres una persona que está destruida? Lo único que realmente importa es quien eres. Es la única cosa que de verdad vale algo en este mundo y es lo único que puede darte esa verdadera satisfacción que andas buscando.

Todos deseamos experimentar el amor incondicional; anhelamos que alguien vea lo que creemos que son nuestros defectos y debilidades y aun así nos siga amando. La persona que puede darte ese amor está más cerca de lo que crees: eres tú mismo. Solo tú puedes brindarte ese amor, eres tu propio compañero de por vida. Nunca vivirás plenamente si no aprendes a aceptarte y amarte por lo que realmente eres.

Si solo te tienes a ti mismo, de alguna forma, todas las personas que conoces o conocerás se irán o no compartirán contigo de la misma manera. Dejas de vivir con tus padres, tus hermanos se casan o viven separados, los amigos se pierden y constantemente entran y salen personas de tu vida. La única constante eres tú. Así que ámate y cuídate, si no lo haces tú, ¿quién más lo hará?

Ahora debes descubrir quién eres tú. Pero, ¿cómo hacerlo? Esa es una pregunta que solo tú podrás responder. Cuando elimines todo lo que no eres, tal vez descubras lo que sí eres. Debes atreverte a romper con las ideas falsas que llevas arrastrando y eliminar todo lo que realmente no importa, incluso todas las opiniones externas.

Cuando te cuestiones todo sobre la vida, podrás verlo todo con tus propios ojos, tanto a ti mismo como a los demás. Serás capaz de descubrir la verdad, no esas ideas limitantes y pequeñas que no le hacen justicia a la vida, solo crean más dolor y sufrimiento en el mundo.

Analiza tus conductas y tus emociones. Encuentra las cosas que te hacen feliz a ti y no te sientas obligado a ser de alguna manera por los demás. Vive por ti mismo, tu vida te pertenece solo a ti y eres el único en este mundo que puede vivirla.

Solo cuando aprendas a amarte a ti mismo, podrás amar a los demás verdaderamente y encontrarás la auténtica felicidad. La vida es muy corta para odiarnos y odiar a los demás. No te critiques cruelmente, haciéndote sufrir una y otra vez por las mismas cosas.

Debes aprender que, si deseas cambiar algo, debes hacerlo desde el corazón, no desde el odio. Que todo lo que hagas sea para tu crecimiento propio, sin críticas, solo con comprensión, sinceridad y amor. De nada sirve infligirte sufrimiento constantemente por algo si no harás nada con ello. Si tienes cosas que crees que debes mejorar, trabaja para cambiarlas. Si no, aprende a vivir con ellas. Solo podrás avanzar si confías en ti mismo y haces las cosas por ti.

Dale la vuelta a tu mundo, desaprende todo lo que alguna vez creíste que era la realidad y aprende correctamente. Cuestiona todo en la vida. Franz Kafka dijo: 'Destrúyete para conocerte, constrúyete para sorprenderte, lo importante no es ser, sino transformarse'. Pero ¿en qué nos transformaremos? En quien siempre fuimos, a pesar de ser obligados a ser otros.

No te pierdas de vivir. No te pierdas de las cosas más bonitas de la vida. No seas tu peor enemigo, conviértete en tu mejor aliado, sé esa persona que quieres que siempre te apoye y esté a tu lado. No importa nada, solo importa lo que crees que es importante para ti y eso solo tú puedes elegirlo.

"El misterio final es uno mismo."
-Oscar Wilde

Capítulo 3

Desafíos en el viaje emocional

¿Qué quieres de la vida? ¿Qué es lo que quieres de ti mismo? ¿Qué te hace feliz o te hace llorar? ¿Cuáles son las cosas que te hacen sentir vivo? ¿Qué es lo que te hace querer vivir? ¿Qué te hace enojar o te da miedo? ¿Qué es lo que más amas en este mundo? ¿Qué despierta algo dentro de ti? Porque encontrar el significado dentro de nosotros es el viaje de la vida; cada emoción, cada sensación, cada sueño, es un camino hacia tu esencia más profunda.

Somos seres tan complicados y, a la vez, tan sencillos. Somos contradictorios e intrigantes, todos tan diferentes y únicos. Sentimos tantas cosas de una manera tan intensa que no llegamos a comprendernos. Amamos apasionadamente y también tenemos la capacidad de odiar con la misma intensidad. A todos nos ha tocado llorar, pero también reír. Podemos sufrir intensamente y, de la misma manera, encontrar la manera ser felices.

La vida es una montaña rusa llena de subidas y bajadas, donde logramos en ocasiones estar en la cima más alta y de repente esta nos arrastra hacia lo más profundo del abismo, repitiéndose una y otra vez un ciclo sin fin. La vida se convierte en una experiencia tan complicada porque no logramos entender quiénes somos y lo que realmente sentimos. Simplemente nos dejamos llevar por esos vagones que suben y bajan, pero no nos damos cuenta de la persona que está sentada en ellos.

Imagina que nuestras emociones son como una linterna que ilumina el camino hacia nuestro yo más profundo. Estas nos ayudan a comprender el porqué detrás de todo lo que hacemos con lo que sentimos. Nos ayudan a vernos verdaderamente, no lo que queremos aparentar.

Nuestras emociones solo tratan de enseñarnos cómo actuar ante las situaciones de la vida. Por ejemplo, cuando nos enojamos es porque sentimos que hemos sido atacados, para así poner límites y cuidarnos. La tristeza nos ayuda a enfrentar pérdidas o cambiar algo que no nos hace sentir bien. El amor nos hace expresar los valiosos e importantes que son los demás para nosotros. Si no sintiéramos miedo, nos lanzaríamos a cualquier situación peligrosa sin pensar en si esta puede ser riesgosa para nosotros o si podemos salir lastimados.

Cada una de nuestras emociones nos cuenta algo que ocultamos y que es importante para nosotros. Cada vez que nos ponemos nerviosos, cada momento en el que sentimos vergüenza, cuando tenemos esperanza, cuando sentimos felicidad o incluso cuando tenemos envidia. Todas ellas hablan de que somos, hablan de nuestros deseos y pensamientos más profundos.

Todo en la vida puede ser bueno o malo, ya que depende de cómo lo utilicemos, incluso nuestras emociones, eso que sentimos. Decidimos si queremos que sean algo de ayuda y usarlas como una guía para lidiar con las situaciones que nos pasan a diario o podemos dejar que sean ellas las que nos usen a nosotros. Es decir que la herramienta es la que nos usa a nosotros, no nosotros a ella. Así que nunca tenemos el control sobre nosotros mismos.

Es como si le damos un martillo a un niño. Él nunca ha agarrado uno, así que no conoce la manera de utilizarlo o siquiera que es. Es lo mismo con las emociones, buscamos todas las formas en las que creemos que debemos manejarlas, porque no tenemos una inteligencia emocional, no tenemos esa capacidad de controlar o entenderlas realmente.

Podemos reprimirlas, las cambiamos y siempre las expresamos mal. Nos hacemos daño, eso es lo único que conseguimos. Cuando queremos, por ejemplo, reprimir lo que sentimos y no experimentar esa emoción nunca, como el dolor, lo que hacemos en realidad es que la vamos acumulando en nuestro interior. Cada vez que algo te lastima y no permites que te duela, acumulas todas esas pequeñas cosas hasta que en algún punto tienes tanta presión dentro de ti que estallas por cualquier cosa.

Al reprimir lo que sentimos, hacemos que esa emoción, que en momento no era nada grave, se transforme en algo que luego no podemos manejar. Por ejemplo: cuando acumulamos la tristeza, nos puede llevar a desarrollar depresión. El miedo puede provocar la aparición de alguna fobia o terror sin sentido hacia algo. El enojo puede llegar a convertirse en algo mucho peor que todas las demás, como resentimiento o la agresión.

Es decir, que evitar lo que sentimos en el momento, no nos sirve de nada, porque nos quitamos un problema del ahora para que este nos afecte en el futuro. Podríamos, por ejemplo, desahogar el enojo que sentimos en el trabajo con alguien o con alguna situación, con otras personas o cosas que no tienen que ver nada con lo que realmente nos molestó. Y así terminamos llegando a casa enojados con todo y todos, para así poder descargar ese estrés con alguien que no nos hizo nada. Y no solo nos lastimamos a nosotros mismos, sino también a personas que queremos.

Somos muy astutos para no afrontar las cosas que no nos agradan. Primero, llega la sensación de, no me gusta esta emoción, pero no quiero reprimirla o descargarla con otra persona ¿Qué hago ahora? Pues la voy a sustituir por una emoción que sí me permito. Por ejemplo, si estamos tristes por algo, pero no nos queremos sentir tristes y enfrentar la situación, lo que hacemos es expresarla incluso como rabia o ira. A veces simplemente estamos tristes, pero al no ser capaces de sentir, buscamos cualquier camino para tratar de lidiar con ello. Porque al no saber cómo utilizarlas y entender lo que queremos con ellas, arruinarnos su verdadero propósito y también nos dañamos a nosotros mismos y a las personas de nuestro alrededor.

El querer encerrarnos dentro de nosotros mismos viene del mismo lugar de donde vienen la mayoría de nuestros problemas: nuestra infancia. Somos ese niño que nunca recibió el amor que merecía y hoy día no sabe cómo expresarlo correctamente, aquel que alguna vez quiso compartir sus sentimientos, pero fue juzgado y herido, y ya no posee la confianza de ser el mismo y decir lo que siente. Todos poseemos a un niño o niña interior que ha sido callado y reprimido para beneficiar a otros, lo que ha provocado que no sepamos como expresarnos y sentir libremente.

Nuestra infancia es tan importante que las relaciones o vínculos que tenemos con los demás son afectadas por el amor o seguridad que sentíamos en ese momento. Por ejemplo, cuando se siente miedo o angustia exagerada de no ser queridos por otros, es porque de niños no teníamos esa seguridad de ser verdaderamente amados.

O también el distanciarnos emocionalmente, no querer tener cercanía con alguien y tener miedo a que nos conozcan de verdad, es porque fuimos rechazados cuando más necesitábamos a nuestros padres. Solo por mencionar algunos ejemplos de apego que podemos desarrollar como adultos. Así es como se nos pone un muro del que ya no creemos que podamos saltar.

De pequeños nunca tuvimos el control de lo que nos pasaba, pero de grandes tenemos la responsabilidad de sanar todos nuestros traumas. Primero, debemos dejar de creer y convencernos de que sentir está mal, ya que es lo único que nos da la certeza de que estamos vivos. Debemos permitirnos llorar, amar intensamente, enojarnos o simplemente ser felices. Porque pensamos que debemos ser fuertes y que de alguna manera sentir nos hace débiles y vulnerables. Nos guardamos y ocultamos todo lo que somos, para no lastimarnos a nosotros mismos ni ser lastimados por otros.

Pero nuestras emociones no son malas, no son algo que debamos reprimir. Decidimos atacarlas como si fueran una enfermedad dentro de nosotros. Las vemos como algo de lo que nos deberíamos avergonzar y sentir mal por simplemente tenerlas. Pero en realidad, ellas solo nos protegen y nos guían en este mundo.

Para darle algún sentido a nuestra vida y poder vivirla plenamente, debemos aprender a vernos en realidad. Logramos hacerlo observando nuestras emociones, para ver lo que realmente ocultan y por qué las estamos sintiendo. Descubrimos nuestros traumas y heridas más profundas. Si aprendemos a verlas, lograremos que las heridas del pasado no tengan un poder sobre nosotros, viviremos el presente y nos conoceremos verdaderamente.

Pero si no nos permitimos ser quienes somos, poner nuestros límites o simplemente ser comprendidos, ¿cómo podríamos decir que somos nosotros mismos? Dejamos de ser quienes somos por temor al juicio, al rechazo y ser alejados por otros. Pero en realidad eso nos lastima solo a nosotros, porque al querer ser aceptados por otros, olvidamos que la persona que realmente debe aceptarnos somos nosotros mismos.

Realmente no importa lo que el mundo crea que es correcto. Dejemos atrás todas esas normas de cómo debemos actuar y sentir. Tenemos hasta estas expectativas de género en las que asignamos cuáles emociones son aceptables para las mujeres y cuáles para los hombres. La sociedad cree que las mujeres son más sentimentales, incluso más sensibles y por eso se les da la libertad de expresar sus emociones. En cambio, los hombres no deberían ni siquiera llorar o sentirse tristes, porque eso los hace débiles e inservibles, solo se les tiene permitido ser fuertes.

No hay una manera en la que debamos ser; simplemente somos nosotros mismos, y no necesitamos ser nada más que eso. Ya basta de ocultarnos. Nos encerramos a nosotros mismos en jaulas de la que ni siquiera estamos conscientes de estar. Queremos hacernos desaparecer, pero nunca lo logramos, solo nos tratamos de ocultar con máscaras y disfraces. Y llegamos al punto de reprimirnos tanto que no se manifiesta ni una pizca de quienes somos en realidad.

Llegamos a actuar como que no queremos amor, pero luego buscamos cualquier cosa para tenerlo, como en compañías pasajeras, llenando vacíos con personas diferentes, o con objetos materiales. De la misma manera, buscamos desesperadamente el amor que no tenemos por nosotros mismos, lo que nos lleva a tolerar situaciones en las que lastimamos o salimos lastimados, solo para evitar la soledad.

Del mismo modo, nos sentimos tristes por cosas que en realidad no deberíamos, porque tenemos emociones bloqueadas que no hemos afrontado. Lloramos y lloramos todo lo que alguna vez no pudimos. Lo más importante es que aprendamos a entendernos a nosotros mismos, ya que somos los únicos que realmente nos conocemos en profundidad. Vuelve a ser tú, tu verdadero yo.

Utiliza tus emociones como un recurso, no como un elemento autodestructivo. Lo que debes hacer es observar tus emociones como si fueras un espectador fuera de ti. ¿Qué es lo que ves y sientes? Eres el único que puede saberlo. Trata de obsérvalas de fuera, no desde ellas, como si no las sintieras y pregúntate a ti mismo: ¿por qué estoy sintiendo esto y de qué manera puede ayudarme? ¿Lo que siento es por esta situación o por otra que no he afrontado? ¿Hay algo oculto que no estoy viendo?

Haz lo que te salga del corazón, no le temas al cambio y verás cómo poco a poco descubres al maravilloso ser que llevas dentro. Ámate lo suficiente, porque si no lo haces tú, ¿quién más lo hará? La vida es muy corta como para odiarnos, culparnos y juzgarnos; nada de eso sirve de nada. Solo sana y libera esa carga que has llevado contigo siempre. No desperdicies tu vida sintiéndote insuficiente, solo ama lo que eres para abrirle el paso a tu ser auténtico.

Algún día moriremos y la verdad, no sé tú, pero yo no quisiera mirar atrás y ser víctima de las circunstancias, sino creadora de mi propio destino. No quiero morir sabiendo que no fui yo, que no viví como debería haberlo hecho. El momento de hacer algo es el ahora.

Y no culpemos a los demás; solo debemos darnos cuenta de que, al fin y al cabo, todos somos iguales: víctimas y también opresores en alguna forma. Todos hemos vivido nuestros propios traumas, hemos sufrido y también hemos hecho sufrir a alguien más.

Incluso nuestros propios padres vivieron un mundo muy diferente al nuestro, así que debemos ser amables con ellos. Trataron de enseñarnos lo que creyeron que era lo correcto, basándose en lo que alguna vez les enseñaron a ellos mismos. Sé bondadoso con los demás; nunca sabes por lo que pudieron pasar para convertirse en quienes son, incluso con las personas que consideras más malvadas.

"Es mucho más fácil para el hombre visitar a Marte o la Luna, que penetrar en su propio ser"
-Carl Jung

Capítulo 4

Los espejos de la verdad

La vida es como un tren que va de estación en estación. Vamos sin rumbo encontrándonos con cosas maravillosas por doquier, conociendo lugares, personas y viviendo experiencias únicas que crean al ser que somos y seremos. Todas ellas nos muestran algo de nosotros mismos, que de alguna forma no nos hemos percatado, haciéndonos ver partes ocultas de nuestro yo interior.

Todo este vasto mundo, esta vida, este universo, simplemente son el medio en que cada uno de nosotros utiliza para transformarse y conocerse. Cada día, la vida nos da pequeños retos para hacernos mejores personas. Experiencias únicas que siempre dejarán algo, sea bueno o malo, cada una nos cambiará la vida haciendo de nuestro mundo algo diferente.

En los que esos momentos se transformen para ti es tu decisión, puedes quedarte con lo mejor de ellos y aprender de lo peor o hacer de ellos algo que te arruine y marque de por vida. Sé que no tienes el control de las cosas que te sucedieron o podrían sucederte, pero sí depende de ti tu reacción hacia ellas. Depende de cada uno de nosotros si tomamos la decisión de aprovechar la vida y verla como oportunidad increíble en la que podemos ser y vivir a nuestra manera.

Es sencillo: decides ser víctima y dejar que el mundo tenga el poder sobre ti, o ser aprendiz a cargo de su vida. Hazlo y transforma cada situación a tu favor, decide ser feliz a pesar de todo lo que ocurra. Ten el control sobre ti mismo y tu propia vida. Aun cuando creas que el mundo esté en tu contra, disfruta de la vida, todas sus subidas y bajadas. Observa cómo el exterior se maneja para ti y tu propio beneficio.

Mientras más vivas y aprendas del mundo, verás que todo a tu alrededor son simples espejos. Así que la manera en la que reaccionas a las situaciones de la vida habla de quien eres tú, habla de ti. Tus deseos, todas tus emociones, tus ambiciones, metas, entorno, lo que buscas de la vida, todo absolutamente todo te lleva al mismo lugar, a quien eres tú. La manera en la que ves el mundo es lo que eres. En lo que te concentras, los adjetivos que les das a las cosas, con los colores que ves tu alrededor.

Es como dos personas que van caminando por la calle y de repente empieza a llover. Una de ellas maldice la lluvia, piensa en que se está mojando, que se le está arruinando la ropa o en que puede enfermarse. Maldice el momento y no se está dando cuenta de que cada segundo de la vida está hecho para disfrutarlo, sin saber si esa es la última oportunidad que tiene de vivir ese instante.

De otro lado vemos a alguien más disfrutando de ella, un niño, jugando y saltando por doquier. Viviendo sin preocupaciones, como si no hay un mañana, experimentando la libertad. ¿Qué opinas tú? ¿Crees que ambos tienen ojos diferentes o que son personas diferentes? Ambos están experimentando la misma situación y momento, pero ambos la están viviendo de maneras distintas.

Lo que eres se refleja en el mundo, en cómo lo ves, en como lo vives, lo sientes y cómo lo disfrutas. Dependiendo de tu perspectiva, aprenderás cosas que no sabías sobre ti mismo. Es como si solo ves a tu alrededor personas malas, traicioneras y egoístas, o tratas de ver lo mejor de todos, creyendo que hay una gran cantidad de gente buena. Puede que durante tu vida te hayas encontrado personas maravillosas por doquier o incluso experiencias increíbles, pero no has podido verlas y disfrutarlas porque tienes los ojos cegados a las cosas buenas. Es como si prepararas a tu mente para no ver colores y así solo puedes ver el mundo en tonos grises.

Todos son espejos, todas las situaciones y todas las personas. Solo nos reflejamos en todo lo que vemos. Lo bueno que vemos de los demás es lo bueno que vemos en nosotros mismos. Lo malo de ellos, son nuestras propias inseguridades y miedos que no hemos afrontado. Por ejemplo, si criticas el físico, la inteligencia o los gustos de alguien más, es porque tienes inseguridades sobre esas cosas en ti. Realmente, el aspecto físico, las decisiones y la vida de otros, no es algo que te afecte, ni debería hacerlo.

Como las personas decidan vivir su vida, solo es de su incumbencia, no es algo que te afecte a ti. Así que en realidad no tenemos el derecho ni la necesidad de opinar sobre nadie. Cada quien es dueño de su propia vida. Entonces, si hay algo del otro que me molesta, es porque ese algo lo veo en mí. Todas las personas que amas o has amado reflejan el amor y las cosas que amas de ti mismo. Todas las personas que te desagradan solo reflejan las partes de ti que no aceptas y que necesitan sanar.

De la misma manera, te darás cuenta de que los demás también se reflejan en ti y en todo lo que ven. Muchos de ellos podrían reflejar en ti sus problemas, así como otros reflejan el amor y la alegría de sus propias vidas. ¿Te has dado cuenta cómo personas alegres pueden hacer feliz a cualquiera a su alrededor? Eso es porque decidimos ver esa felicidad en nosotros mismos. De la misma manera, cuando estamos con alguien que se queja de todo y siempre ve lo malo de la vida, reflejamos eso en nosotros, nuestras propias inseguridades sobre el mundo. Al ver todo lo malo, te ves a ti mismo en ello. Todo a tu alrededor son solo espejos.

Cuando ves el mundo por lo que es, descubres el porqué los demás actúan como actúan. El odio, el desagrado, la envidia nada de eso es por ti, son sus propios sentimientos hacia ellos mismos reflejados en ti. Cuando alguien pasa por situaciones difíciles y no sabe cómo lidiar consigo, saca desde dentro de sí sus inseguridades, su baja autoestima, la falta de amor propio, lo que sea lleven cargando dentro. Solo quieren desquitar ese sentimiento reprimido que les pesa en el corazón y lo harán contigo o con cualquiera a su alrededor.

Así que, no importa cómo te vean o te traten los demás, si todos solo se ven a sí mismos. Lo ves más claramente cuando incluso personas que no te conocen, ni saben quién eres, hacen comentarios y asunciones sobre ti. Es como si todos a tu alrededor saben perfectamente quién eres, qué debes hacer, cómo debes actuar, cómo deberías verte y cómo deberías ser. Todos tienen opiniones distintas y distorsionadas de la realidad, porque no ven las cosas por lo que realmente son.

En realidad, si lo piensas, nadie sabe quién eres realmente, todos tienen una versión tuya diferente en sus cabezas, de acuerdo a sus perspectivas y las experiencias que han vivido contigo. Nadie sabe quién eres. Para algunos, podrías ser la persona más amorosa y amable que han conocido, en cambio, para otros podrías ser una persona desagradable y maleducada.

Si nos basáramos en lo que eres por las opiniones de los demás, podríamos decir que eres varias personas en una, con cualidades y personalidades totalmente opuestas entre sí. Y si es así ¿por qué nos preocupamos tanto de las opiniones de los demás sobre nosotros? Si los demás solo nos ven de acuerdo a sus propios espejos, ¿por qué debería de importarme tanto lo que piensen de mí?

Si sé quién soy, sé lo que valgo, sé lo que quiero y sé lo que he vivido. No importa lo que piensen de mí, no importa si alguien me trata mal o que crea que soy mala persona, no es algo que tenga que ver conmigo, solo son quienes ellos son.

Cuando nos damos cuenta de esos reflejos, vemos a los demás verdaderamente. Ves que todo comportamiento tiene algo oculto. Las actitudes malas, por si decirlo, reflejan por lo que está pasando esa persona, sus inseguridades, miedos o incluso traumas. Así vemos esas acciones de manera diferente, por lo que realmente son. Y entendemos que también así somos nosotros, expresamos nuestros propios sentimientos de la misma manera. Todos tenemos nuestras cargas en la vida y sentimos miedo, tristeza y dolor.

Viéndolo todo de manera más genuina, ya no existe espacio para juzgar a nadie. Aprendes que no debes tomarte nunca nada personal, ni lo bueno ni lo malo. Cuando ves a alguien que le gusta hacer sentir mal a los demás, que quiere imponer que es mejor que todos, que maltrata psicológicamente a cualquiera, incluso puede llegar a darte pena. Piensas, ¿qué tuvo que pasar esa persona en su vida para llegar a odiarse tanto, para llegar a ser alguien tan miserable y lastimado? El peor comentario no te afectará porque entiendes por qué lo hacen y que no lo hacen por ti, lo harían con cualquiera, porque buscarían cualquier oportunidad para escapar de ellos mismos.

Todos tenemos diferentes percepciones de acuerdo a nuestras creencias, las oportunidades que hemos tenido en la vida, los conocimientos que hemos adquirido y lo que queremos del mundo. Nuestra realidad crea a quienes somos. Así que ve a las personas no por lo que crees que ves, más bien por lo que está oculto en ello, y aprovecha lo mismo para ti, para que te conozcas mejor y seas alguien mejor.

Decide lo que quieres dar al mundo. Las palabras que uses, las decisiones que tomes, la empatía que demuestres, son pequeñas cosas que pueden cambiarlo todo. Tú decides cómo usarlas. ¿Qué es lo que más aportas en el mundo? ¿Vives tu vida criticando y buscando los defectos o le dices a alguien lo bien que lo está haciendo, lo bien que se ve hoy?

Dime lo que ves del mundo y te diré quién eres. Trata bien a los demás sin importar cómo luzcan, las decisiones que tomen o como deciden vivir su vida, porque todos somos dueños y responsables solo de nuestro propio mundo. Vive la vida sin juicios y libre de odio.

Estas son las leyes del espejo según Yoshinori Noguchi:

1. Todo lo que molesta, irrita, enoja o quiera cambiar del otro está dentro de mí.
2. Todo lo que me critica, combate o juzga el otro, si me molesta o hiere, está reprimido en mí y tengo que trabajarlo.
3. Todo lo que el otro me critica, juzga o quiere cambiar de mí, sin que a mí me afecte le pertenece a él.
4. Todo lo que me gusta del otro, lo que amo en él, también está dentro de mí, reconozco mis cualidades en otro.

Verás que todos somos uno, tenemos nuestros vacíos internos y nos encontramos perdidos en el mundo. Cada uno de nosotros, es lo que nos hace humanos. Las personas que idealizamos, famosos, artistas, nuestros padres, familiares, amigos o enemigos, todos somos iguales. No hay nadie que conozca la fórmula perfecta de la vida, ni siquiera esas personas que crees que tienen todo resuelto.

Y final, nos damos cuenta de lo que es la realidad, todos somos lo mismo y por el mundo solo hay versiones diferentes nuestras, pero habiendo vivido diferentes experiencias, vidas y que han tomado decisiones distintas. Son como tu otro yo, algo en lo que podrías haberte convertido si hubieras tenido otras vidas u oportunidades.

Así que trata a los demás como quieres ser tratado, haz de las personas que estén en tu entorno tan felices como quieres serlo tú. Observa tus propias acciones y actitudes, eso también te hará darte cuenta de las acciones de los demás. Así entiendes y aprendes a ver verdaderamente al mundo, sin vendas que cubran tus ojos, ni de tu propio ser ni de los demás.

Convierte en observador del mundo externo y de tu mundo interno. Verás de donde vienen tus comportamientos más dañinos y tóxicos, te ayudará a sanar las cargas del pasado y cerrar esas heridas que continúan abiertas.

El descubrirnos es el acto más puro, sincero y maravilloso. Ser nosotros mismos es lo que le da sentido a la vida y lo que nos da alegría y felicidad. Al encontrarnos, se acaba el miedo, se acaba todo eso que hacemos por otros, nos sentimos libres de ser y vivir. Porque simplemente soy yo y no necesito nada más que eso.

"No existe mayor ciego que aquel que no quiere ver."
-Nila del Socorro Castillo

Capítulo 5

El amor verdadero

¿Qué imaginas cuando piensas es esas palabras, 'amor verdadero'? Tal vez es una ilusión, sueños de la humanidad por conseguir a un ser amado o algo que en realidad no existe. El amor, qué palabra tan complicada. ¿Será que existe el amor? Y no me refiero a él de manera romántica, me refiero como uno de los sentimientos más profundos y verdaderos. Quizás al definirlo como un sentimiento, limite su verdadero significado y su verdadera importancia.

El amor va más allá de dos seres que se buscan toda la vida para unirse. Creo que el amor está en todo y en todos: en una taza de café, en el cantar de las aves, en el soplar del viento, en sentir que algo es especial para nosotros. El amor está en ti y en mí, en las cosas que amas hacer, en lo que disfrutas de la vida, en las personas que son importantes para ti, está en todo tu alrededor.

Pero el más fundamental de todos los amores se encuentra en ese que tienes por ti mismo. Este es el que define tu experiencia en este mundo, define cómo amas a los demás, define cómo ves la vida. Es la base de todo y aun así no nos damos cuenta de lo esencial que es para nuestra felicidad.

¿Por qué crees que el ser humano siempre busca y crea razones para odiarse a sí mismo? Llena su vida de dramas de toda clase, excusas para sentir que no es especial y no ser digno de ser amado. No solo evita ser amado por otros, también evita ser amado por sí mismo. Buscamos razones tontas y sin sentido para no apreciar quiénes realmente somos, porque condicionamos el amor. Necesitamos razones para ser dignos de ser amados.

Y es lo que aprendemos del mundo, viviendo en una realidad que nos hace ver solo lo malo, buscando "defectos" de todo y aún más a hacerlo con nosotros mismos. Las comparaciones con el ideal perfecto de nuestras cabezas nos impiden ver a la persona valiosa y maravillosa que cada uno de nosotros lleva dentro. Deseando ser como todos, borramos lo especial que cada uno tenemos. Tratando de ser como los demás, empezamos poco a poco a despreciar las cualidades que poseemos que sean diferentes a ese modelo que queremos alcanzar, transformándonos en quienes no somos.

Cuando no sientes amor por ti mismo, la vida poco a poco empieza a perder el sentido. Ya no disfrutas las cosas por ti y para sentirte bien, empiezas a vivir por otros, te torturas a ti mismo y dejas que el mundo te pisotee y destroce. ¿De qué vale vivir si no crees que tu vida es valiosa?

Vemos más natural amar a otros que a nosotros mismos. Por ejemplo, piensa en la persona que más amas y aprecias en este mundo. Quizás podría ser tus padres, hermanos, algún familiar o incluso un amigo. Sé que al amar a alguien siempre queremos su bienestar, que sea siempre feliz, darle nuestro cariño, comprensión, apoyarlo cuando más lo necesite y darle nuestro amor incondicional. Quieres que se dé cuenta de la maravillosa persona que es a tus ojos y lo importante que es para ti.

Cuando verdaderamente amamos a alguien, no condicionamos el amor. El aspecto físico realmente se vuelve irrelevante, solo lo apreciamos por quien es realmente. En el amor verdadero no se busca constantemente razones para dejar de amar a ese individuo. No buscamos los defectos. Todos somos merecedores del amor, todos merecemos a alguien que se preocupe por nosotros y nos quiera de verdad. Entonces, ¿por qué no crees que eres digno de él? ¿Por qué no crees que puedes dártelo a ti mismo?

Simplemente escucha tu diálogo interno, escucha cómo siempre te estás juzgando y criticando. Todos esos comentarios se repiten una y otra vez hasta que terminamos odiándonos a nosotros mismos. Es que creo soy feo/a, por eso no consigo pareja ni que nadie me quiera, si adelgazo me veré mejor y así me querrán más, si mi piel se ve mejor, si tuviera mejor pelo, si hubiera nacido así, si fuera más rico, más inteligente...

No lo ves, queremos ser aceptados por otros porque no nos aceptamos nosotros mismos. Es lo que llamo el condicionamiento del amor propio. Creemos que, si conseguimos ser de una manera, si logramos todas nuestras metas, si conseguimos ser exitosos, podríamos lograr que alguien nos quiera. Buscamos externamente poder completarnos, como si algo exterior puede llenar un vacío que se encuentra dentro.

La escasez de amor es lo que ha llevado al mundo a su perdición. El ser que no consigue amarse no solo se destruye a sí mismo, quiere que su alrededor se hunda con él. No solo arruinamos nuestra propia vida, sino también lastimamos a quienes están en nuestro alrededor. Reflejamos ese odio por los demás, nuestras inseguridades, criticamos al otro, buscamos defectos en todos y queremos herir o lastimar a cualquiera.

Creemos que, si alguien está peor que nosotros, nos hace momentáneamente sentirnos un poco mejor sobre nosotros mismos. Creamos guerras, conflictos, odio y sufrimiento. Solo basta con un ser que no se ama con poder para mover al mundo a la destrucción. El odio que posee dentro sale al exterior, promoviendo el odio de entre quienes lo escuchan.

Pero este es solo un lado de la moneda. Ahora cuando este odio lo vemos en el papel de víctima, podemos llegar a tolerar cualquier cosa de alguien más, incluso maltrato tanto físico como psicológico. Porque permites de los demás lo que crees que mereces. Crees que al no ser suficiente cualquier muestra de atención, es mucho para ti y que es lo que alguien como tú debe aceptar. Y todo se vuelve un ciclo vicioso, mientras más toleras más baja tu autoestima, hasta puedes llegar a creer que el maltrato es algo normal o que no te tenga nadie respeto es lo que mereces.

Cuando te ves a ti mismo como alguien sin valor, eso es lo que recibes de los demás. Lo vemos en las relaciones humanas, en todas ellas: amistades, romances, familiares, compañeros o hasta desconocidos. Se suele reflejar más en relaciones amorosas, porque solemos entregarnos por completo a alguien más y nuestro valor y el amor que nos tenemos viene entonces de esa relación.

Nos convertimos en parásitos del amor, esperamos amor externo de alguien más y su aprobación porque es algo que no nos damos nosotros mismos. Nuestra valía entonces viene de cómo me trate esa persona. Pero ya te lo he dicho, no importa como los demás te traten, no importa lo que piensen de ti, todo el mundo da lo que es. Si alguien te maltrata o te trata mal no significa que haya algo mal en ti.

Pero aun así, sigues buscando que alguien confirme que te ama y tu mundo se desploma si dejan de amarte. Convertimos el amor externo de otra persona en algo más valioso que el amor que tenemos por nosotros mismos. Esto solo nos puede llevar por el camino de la perdición, entregas tu vida, tu ser, tu estado de ánimo, tu valía, tu felicidad y lo que eres. Ya tu vida no te pertenece, la regalas.

Para poder vivir plenamente, tener relaciones sanas y evitar el sufrimiento, es importante amarnos a nosotros mismos. Porque si no, aguantaremos cualquier cosa: maltrato, desprecio, odio, por no sentirnos solos y estar con nosotros mismos. Lo que crees que mereces de acuerdo al amor que te tienes es lo que esperas del mundo.

No te has dado cuenta, por ejemplo, cuando alguien perdona una infidelidad (nadie tiene la culpa de que lo traicionen), pero aceptan a esa persona de vuelta. Tal vez porque cree que no es lo suficientemente valioso o valiosa para mínimo ser respetado o respetada y que le den fidelidad. No solo sientes que no vales nada, la otra persona también empieza a pensar igual que tú. Verá que no tienes respeto hacia ti y le puedes perdonar cualquier cosa porque eso es lo que aceptas.

Y así es el mundo, no solo en relaciones amorosas, lo que permites se repite y lo que crees que mereces, eso tendrás. Por eso, muchos suelen quejarse de todo y de todas las situaciones por las que pasan, pero no se dan cuenta de que tienen parte de responsabilidad en ello, porque permiten que ocurran circunstancias en las que le falten al respeto y solo callan. No sabrás amar a los demás si no aprendes a amarte a ti mismo, porque permitirás y justificarás el daño hacia ti y eso no es amor.

No solo eso, también evitas estar solo y entras y sales de relaciones a todo momento, permites personas tóxicas en tu vida, ya sean amigos, familiares o incluso conocidos. Porque la soledad te hace reencontrarte contigo mismo. Hasta que no aprendas a estar solo, aceptar quien eres, amarte y vivir plenamente sin necesidad de validación externa, no estarás preparado para una relación.

Las relaciones deberían hacer tu vida más fácil, no complicar tu existencia. Si algo te quita la paz, no vale la pena. No busques que nadie te complete, complétate a ti mismo y luego podrás estar con alguien por amor real. No buscarás lo que ya hay en ti, solo disfrutarás de compartir tu dicha con alguien más. Te alejarás de lo que te hace daño porque no tendrás miedo de estar solo o sola. No esperarás nada de nadie más, porque todo lo que necesitas se encuentra en ti.

¿Cómo esperas tener una buena vida si en el fondo no crees que la mereces? Incluso se te hace tan difícil aceptar elogios, regalos o que alguien te trate bien. Pero no necesitas nada, ya eres valioso, mereces ser amado, mereces que te pasen cosas buenas en tu vida. Recíbelas y agradécelas. Sueña en grande, con cosas maravillosas, porque no está mal que quieras lo mejor para ti. Si no te das las cosas que mereces, ¿quién más lo hará? ¿Quién más cuidará de ti y te amará de verdad si tú no lo haces?

Ámate, ama cada centímetro de tu cuerpo, indaga en tu ser y haz cosas por ti y para ti, consiéntete y hazte feliz a ti mismo. Ámate porque esta es la única oportunidad que tienes de hacerlo. Eres el ser más importante en tu vida, pasarás toda tu vida solo con tu propia compañía. Eres una posibilidad maravillosa en este mundo, tu vida es un regalo y vale muchísimo, tú vales mucho.

Llega a amarte tanto que no necesites que alguien más lo haga por ti, quiérete tanto que no te importe la opinión de nadie más que la tuya. Y verás que no necesitas de nada ni de nadie. Puede sonar un poco crudo, pero es así, no necesitas realmente a nadie. No creo que amemos verdaderamente si eso es lo que pensamos, porque si amas por necesidad, no lo estás haciendo por gusto. Cuando quieres a alguien porque lo necesitas, solo estás pesando en tu propio beneficio en la situación, no por cariño.

De la misma manera, cuando crees que le debes algo a alguien, el aprecio que demuestras es por el compromiso que tienes por esa persona, no porque es amor sincero. No le debes nada a nadie, todo el mundo ha tomado la decisión que ha querido en su vida y si lo han hecho esperando algo a cambio no ha sido realmente un acto sincero hacia ti. Por tal razón, debes amar sin compromisos ni necesidades. Cuando dejas todo eso de lado te darás cuenta a quienes quieres realmente, querrás a las personas en tu vida con cariño sincero, no condicionado. Aunque esto no quiera decir que no debemos sentir agradecimiento, solo te digo que el amor con condiciones no es verdadero.

Incluso en amor condicionado que tienes hacia ti. Tal vez crees que, por conseguir logros, ser alagado por muchos, ser mejor que todos o lo que sea que busques externamente, puede darte un valor interno. Piensas: 'me amaré a mí mismo solo si consigo mucho dinero', 'me amaré si consigo tener buenas calificaciones y ser inteligente', 'me amaré a mí mismo si tengo cosas de la vida, como dinero o fama', 'me amo solo si tengo un cuerpo perfecto', 'me amo si soy apreciado por los demás y elogiado por otros no por mí'. Solo si...

Buscamos tantas razones y condiciones por las que tal vez así podamos querernos. No necesitas nada, a nadie, ni a ninguna cosa por la que debas amarte. Todos nos merecemos sentirnos cómodos en nuestro cuerpo y sentirnos bien con nosotros mismos. Ya somos seres completos; nada fuera de ti puede completarte. No tienes que probar a nada ni a nadie que mereces ser amado, ni a ti mismo. Ojalá que te des cuenta de ello.

La vida es maravillosa, igual que tú. Si tu entorno, personas, o las condiciones externas no te hacen sentirte bien contigo mismo, aléjate de todas ellas. Si personas tiran sus propias inseguridades en ti, aléjalas de tu vida. No mereces rodearte de gente que te hace daño y tampoco sentirte mal por alguien más.

Aprende a poner límites, porque ellos se encargan de protegerte a ti mismo. Si alguien intenta desquitar sus problemas contigo, ponles un alto. Los chistes pesados con intenciones de herirte, los comentarios sobre ti disfrazados con que quieren ayudarte, las opiniones de qué deberías hacer con tu vida, no permitas nada. Solo tú tienes el control sobre tu vida, solo tú sabes quien realmente eres, solo tú puedes defenderte e impedir que te lastimen.

Y si alguien se siente mal porque te quieres a ti mismo, es el otro quien tiene problemas. ¿Por qué debería molestarme que alguien se sienta bien con su vida, que se sienta bien por ser quién es? Tal vez, por mis propias inseguridades, porque no me amo yo mismo y no tolero que los demás se amen. La vida es individual y cada quien es dueño de sí mismo. Así que amate sin importarte los demás.

Da gracias porque estás vivo, da gracias por ser tú a pesar de lo mucho que el mundo te haya golpeado. Date gracias a ti mismo porque cada día te levantas, porque luchas, porque eres tú. Aprecia tu esfuerzo, aprecia que aún no te has rendido y mira lo lejos que has llegado porque vales mucho.

"El único amor consecuente, fiel, comprensivo, que todo lo perdona, que nunca nos defrauda y que nos acompaña hasta la muerte es el amor propio."
-Oscar Wilde.

Capítulo 6

¿Por quién vives?

¿Crees qué tu vida te pertenece? ¿Son tus decisiones, deseos y aspiraciones tuyos o de alguien más? ¿Qué tanto control permites que ejerzan las personas a tu alrededor sobre ti, sobre tu vida, tu estado de ánimo o tus acciones?

En realidad, no sabemos lo que es la libertad. Siempre hemos vivido pensando en el que dirán, en que podrían pensar los demás y si nos juzgarían o criticarían. No tomamos decisiones basándonos en lo que en realidad deseamos hacer, las tomamos a partir de como seremos percibidos por ellas. Vivimos tratando de vender una imagen al mundo de que somos perfectos. Volviéndonos esclavos de las apariencias y parásitos de atención y validación.

Sí, somos esclavos, esclavos del ego, de nuestro orgullo, del amor de otros, del odio y aún más del miedo. Cedemos el control de quienes somos, de nuestras experiencias en la vida, de nuestra felicidad y estado de ánimo y lo peor es que no nos damos cuenta de ello.

Entregamos nuestros sueños. Ya deja de importar incluso lo que queremos o lo que pensamos de la vida. No nos atrevemos a hacer cosas diferentes, no nos atrevemos a hacer las cosas que nos gustan, porque ya no importamos nosotros, ya no vale nada como queramos vivir. Estamos tan sumergidos en esta sociedad de materialismo y apariencias que nos perdemos a nosotros mismos.

Vivimos en un mundo en el que la persona que más tiene dinero, fama o poder es alguien que es superior a otros. Así que también deseamos esas cosas, para sentirnos de igual manera, queremos sentirnos superiores a los demás.

Llenamos nuestro vacío interior con cosas vacías. Es lo que el mundo nos enseña, es lo que todos desean conseguir, entonces yo también debería buscar esas cosas. Este sistema no está muy bien diseñado, pero fue en el mundo que nacimos y tú decides entregarte a él, por sentir que los demás te ven como alguien increíble y tú sentirte mejor que todos ellos.

Eres libre de decidir que te afecta, eres libre de elegir qué motivos son los que rigen tu vida. Somos dueños de lo que hacemos con nuestro estado de ánimo, nuestra felicidad o hasta el amor que nos tenemos. Tenemos la libertad de ser felices sin importar qué ni cómo. Somos libres de elegir nuestro propio camino, aunque este conlleve más piedras con las que tropezar.

Haz las cosas que realmente deseas hacer, no busques simplemente un empleo o una carrera por dinero y por satisfacer tu ego y sentirte importante. Busca algo que sabrás que te hará feliz y descubrirás que el trabajo no es trabajo cuando haces algo que realmente disfrutas. Tú decides de qué manera regalar tu libertad.

El primer paso para ser libres, es saber cuáles son las cosas que nos hacen esclavos. Nuestros propios sentimientos, el orgullo, el ego, el querer demostrar algo al mundo, nos hace perder el control sobre nosotros mismos. Porque vivimos por esas cosas, no vivimos por nosotros.

La opinión de alguien más puede tener tanto peso en nuestro ser que, si hemos sido menospreciados de alguna manera, empezamos a sentirnos mal con nosotros mismos. Nos viene una sensación de impotencia porque, a pesar de nuestro esfuerzo, no conseguimos ser alguien mejor. Dejamos que la opinión de otro externo a nosotros dicte el valor que tenemos como personas, y deseamos tanto demostrarle que somos valiosos y que tenemos capacidad, que somos alguien.

Nos dejamos dominar por otros y por lo que nos hacen sentir de nosotros mismos. Nos dejamos dominar tanto que dedicamos nuestra vida a probar que se equivocan. Pero qué más da, ¿realmente importa tanto la opinión de alguien que ni siquiera te conoce bien y además seguro solo está reflejando sus propias inseguridades en ti? Y si lo piensas bien, seguro no pensabas esas cosas de ti hasta que alguien más las mencionó.

No ves lo que haces, pones la opinión de alguien más sobre la tuya propia, como si lo que piensan sobre ti fuera más relevante de lo que crees tú, de la única persona que te conoce más que nadie. Le entregas tu vida, le entregas tu tiempo, desperdicias quién eres y lo que realmente quieres de la vida. Empezamos a hacer cosas para hacernos otras personas, para demostrarle al otro que valemos algo. Un comentario externo tiene tanto peso en nosotros que movemos cielo y tierra con tal de probar que se equivoca.

Realmente no tiene sentido, nuestra vida solo nos pertenece a nosotros y es demasiado corta como para querer complacer a todo el que nos topemos. Es tan corta que dentro de 100 años o tal vez más, todas las personas que hemos conocido e incluso nosotros mismos estaremos bajo tierra. Nadie recordará lo que hicimos, quiénes fuimos, o qué logros cumplimos. Nadie recordará que alguna vez fracasaste o sufriste alguna humillación, nadie recordará que fuiste la persona que más dinero tuvo, que lograste ser el más exitoso. Y si tal vez eres reconocido después de tu muerte, ¿de qué te serviría? Si nunca lo sabrás.

Tienes la oportunidad de estar aquí, de vivir, respirar, ser feliz, de disfrutar de lo que tú decidas del mundo y de labrar tu propio camino y tomar tus propias decisiones. Porque, aunque las personas que más ames quieran cosas buenas para ti y tú no deseas lo mismo que ellos, no debes hacerlo por complacerlos de alguna forma. Solo te traicionas a ti mismo y sigues viviendo por alguien más y no por ti.

Solo tú experimentarás eso, te esforzarás, por algo que tal vez ni siquiera te hace feliz, pero eres el único que puede decidir sobre su propia vida, nadie más. Tu vida es solo tuya y solo tú sabes lo que es vivirla, y solo tú sabes lo que es sentir la tristeza, la alegría y la emoción de experimentarla.

Nadie tiene la capacidad de vivir a través de ti, no pueden poseer tu cuerpo y sentir lo que tú sientes. Así que, no deberías hacer las cosas por alguien más. No te tomes todo tan en serio, lo más importante es experimentar esta existencia, ríe, llora, sufre y disfruta de todo lo que nos hace ser humanos.

La vida es un momento fugaz, disfruta del poco tiempo que te regalaron, vive a tu manera para que cuando estés en tus últimos momentos no te arrepientas de siempre haber complacido a los demás y nunca pensar en ti mismo. Debes vivir y guiarte por lo que te emociona y te hace feliz.

Recuerda que el amor propio te llevará a la verdadera felicidad y si tú no deseas lo mejor para ti, nadie más lo hará. No tienes expectativas que cumplir, ni sueños de otros que realizar, solo los tuyos. Tratar de complacer o demostrar algo al mundo solo te hace perderte a ti mismo y a tu esencia. Te hace transformarte en lo que los demás desean y no en quien realmente eres. No tienes que probarle nada a nadie, ni vengarte o hacerlos sentir diferente sobre ti.

Recuerda que las personas dan lo que son. Podrías ser la persona más exitosa, millonaria, famosa y siempre buscarán algo para hacerte sentir inferior. Y se vuelve un ciclo vicioso tratando de ser cada vez mejor para demostrar que no eres lo que piensan de ti, o tal vez tratar de demostrarte a ti mismo que se equivocan. Tratas de dar más y más, hasta que llegas a un punto en el que sientes que realmente la vida no tiene sentido, porque no la estás viviendo por ti, no estás haciendo lo que en verdad deseas. Empiezas a vivir para convencer a los demás que no eres inferior a ellos.

Así es como regalas tu vida a alguien más, así sabes que tu vida no te pertenece, no es tuya. Y lo peor es que nadie puede tomarla, tú eres quien decide regalarla. No conseguirás lo que deseas de otros por más que te esfuerces, ya sea amor, aprobación o incluso venganza. El problema no eres tú, eres suficiente y ni las cosas externas, ni nadie puede darte más valor del que ya tienes, nunca.

No conseguirás que alguien te aprecie o ame por hacer lo que ellos quieran, las personas dan lo que son; así como se comportan contigo, lo harán con cualquiera, porque su actitud solo es un reflejo de ellos mismos, no tiene que ver contigo. Si alguien no te quiere por quien eres, sea quien sea, no deberías darle más importancia en tu vida. No necesitas que nadie te confirme que mereces ser amado, respetado y que vales lo suficiente para tener un lugar en el mundo.

Es normal que nuestras emociones se alboroten, escúchalas y averigua que tienen que decirte. Me falta amor propio, o tal vez no me siento conforme con algo en mi vida y por eso me molesta lo que digan de mí. Las emociones son la guía de tu estado interno. Pero si no las escuchas y las manejas pueden incluso hacerte esclavo de ellas. El odio, el rencor, la envidia solo hablan de como tus pensamientos y estado de ánimo están atados a otras personas.

No odies a las personas que te lastiman, perdónalas, porque el perdón te libera de todos esos sentimientos negativos que lo único que hacen es arruinarte a ti y tu esencia. El rencor solo te hace darles una parte de ti a personas que no lo merecen, te hace cambiar y ser alguien que no eres. No digo que tengas que ser amigo de tu peor enemigo, más bien es algo que debes hacer por ti y por tu propia paz, liberarte a ti mismo y a esas cargas que has llevado tanto tiempo.

No vale la pena mantener nuestro corazón agrio y frío, porque eso solo nos lleva a desquitarnos con otros, ya que sufrimos y salimos lastimados. Evita trasmitir a los demás todas esas cosas que alguna vez te hirieron a ti. Hemos sufrido tanto y es el momento de romper la cadena e impedir que más sufrimiento se esparza.

Concédete también el derecho del perdón hacia ti mismo, no te culpes por errores pasados. En el momento diste tu mejor esfuerzo. Hiciste lo que pudiste con la información que tenías y eras una persona diferente a la que eres hoy. Te darás cuenta de que tus errores pasados son una señal de lo mucho que has crecido hoy. Porque ves todo desde una perspectiva más madura, así sabes que tienes otra mentalidad. Pero pensar en ellos culpándote a diario, no solucionará nada ni cambiará el pasado. El sufrimiento del ayer solo te quita la paz del hoy. Entregas tu vida al pasado y regalas tu presente.

La vida se trata de amarte tanto que no te importe cómo te trate el mundo; tu autoestima y la perspectiva que tienes sobre ti nunca debe cambiar. Que tu felicidad sea tu prioridad, no la de los demás. Nos tomamos demasiado en serio la vida, realmente no importa nada, solo nosotros le damos la importancia. Porque al final que, solo desapareceremos, o quién sabe si iremos al cielo, a algún paraíso, reencarnaremos, sea lo que sea, solo tienes esta oportunidad de ser tú, aquí y ahora y nadie más puede serlo, solo tú.

"Deja de buscar desesperadamente la aprobación y reconocimiento externo; se tu propio espectador, busca tu propio aplauso"
-Séneca

Capítulo 7

Reprograma tu mente

Conocer el significado del 'Yo' es la tarea más difícil que se nos podría dar en el mundo. No podríamos saber ni siquiera qué significa ser nuestro propio 'Yo', cuando este podría estar tan influenciado y adoctrinado por ideas externas, las cuales nuestro subconsciente vive, piensa y basa su mundo a ellas.

Conocerte es difícil porque tu computadora mental tiene instalados los programas que definen el estado en que te encuentras. Estos programas son tus ideas preconcebidas, que dictan cómo ves el mundo, cómo te ves a ti mismo y a los demás. Te delimitas a ti mismo a través de tantas mentiras absurdas e incontables. Aun así, el yo verdadero no tiene ni cara, color, forma, figura, o sexo. Sin embargo, este se moldea a sí mismo a partir de todo a lo que le das consentimiento de ser.

Por tal razón, para encontrar a tu verdadero ser, debes reconstruirte a ti mismo desde cero. Quitando capas y capas de adoctrinamientos. Debes reprogramar tu mente, deshaciéndote de ideas falsas y pensamientos que en realidad no tienen poder sobre ti, cosas que te has dado cuenta de que no eres y no pueden afectarte más. Debes recorrer este viaje a través de la

70

observación no crítica de tus pensamientos y guiarte hacia un propósito constructivo de una nueva persona.

Cuando te adentres hacia lo más profundo de tu mente, verás que es un cuarto lleno de basura, acumulando cosas y creencias innecesarias. Es un espacio lleno de pensamientos autodestructivos, unos victimizándonos otros juzgándonos y muy pocos con algo positivo que decir. Suponemos que tenemos enemigos por todas partes, interna y externamente. Pero debemos amar a nuestro enemigo, y no hablo de aquel que se encuentra fuera, hablo de ese que llevamos dentro. Nuestro niño interior, ese que lleva las pesadas cargas de traumas, sufrimientos e inseguridades consigo y que afectan a tu yo adulto.

Aprende a observarlo y a entenderlo, quitando la neblina mental que no te deja verte a ti mismo. Guíate por tus sentimientos. Primero pregúntate qué es lo que sientes y el porqué real de ello; siempre obtendrás una respuesta a tu pregunta. Trata de observarte a ti mismo como si fueras un espectador, no desde el sentimiento, más bien fuera de él. Y al final solo lo dejas salir, te permites sentir lo que de verdad sientes y solo lo dejas ser. Sientes todo y te comprendes, pero no dejas que te controle, sanas y te liberas de esas cargas mentales.

Mientras más indagas, te das cuenta de quién realmente eres, tus pensamientos y creencias más profundas, tus traumas y heridas. Y te liberas porque está en tu corazón el descubrirte, el cambiarte a ti mismo, ya que nuestro yo es el misterio más grande del mundo y pasamos nuestra vida tratando de ocultarnos de ello. Nos liberamos del miedo de ver lo que está encerrado en lo más profundo de nuestra mente. No queremos destapar las heridas, pero si realmente queremos que ya no duelan y nos controlen, tenemos que sanarlas.

Cuando aprendes a conocerte y aceptar a tu propio ser, tienes la oportunidad de mejorar y cambiar el estado en que te encuentras. Solo aceptando quién eres y a tus conductas más dañinas puedes progresar. El reconocimiento es uno de los pasos más importantes. Ver a tus pensamientos es darte cuenta de cómo te defines a ti mismo y entiendes al mundo. Cambiándolos te cambias a ti mismo y eliminas patrones autodestructivos.

Por ejemplo, cuando quieres introducir algo nuevo a tu vida o vivir alguna experiencia nueva, ¿cuáles son los primeros pensamientos que llegan a tu mente? Tal vez tu mente está programada al pesimismo, y buscará una y mil maneras de como las cosas pueden salir mal. Te pueden ahogar tanto esos pensamientos que incluso renuncias y te pierdes de cosas maravillosas pensando en una probabilidad de tantas. Solo te saboteas a ti mismo, porque lo que tú crees se hará realidad; si crees que puedes lograr algo o no, en ambos casos tienes la razón.

Lo que te dices a ti mismo se convierten en las palabras más importantes de tu vida, porque son las que definirán todo. Cambia tu diálogo interno y verás como tú y tu mundo externo se transforman. ¿Quieres una mejor vida? Conviértete en alguien mejor ¿Quieres conseguir algo en la vida? Conviértete en ese alguien que es capaz de conseguirlo. Sea lo que sea que busques, puedes encontrarlo. 'Pero es que es muy difícil'. Pues será difícil para ti. 'Es que la vida no es así'. Pues la vida no será así para ti. 'Una persona como yo no puede hacerlo'. Tienes razón, no puedes. Sea lo que sea que creas, estás en lo correcto.

Dentro de ti no existe nadie más que tú mismo. No hagas de esto algo complicado y por lo que tienes que luchar, porque la lucha implicaría que existe alguien más con quien luchar, pero solo estas tú. Tienes tal poder dentro de ti mismo que eres capaz de quitarte dicho poder y ponerte obstáculos en frente. Porque te dices a ti mismo que no es fácil. Lo que dices es lo que se transforma en tu única realidad.

¿Qué palabras te repites a diario, cuáles programas adhieres a tu mente? Lo que repites es lo que crea tu visión de lo que eres tú. Si, por ejemplo, toda tu vida te has dicho que no tienes la capacidad de hablar en público, esto se convierte en un programa en tu mente que te lleva a actuar de la manera en la que crees que eres, aunque no sea la verdad.

Puedes convertirte o convertir tu realidad, solo necesitas los pensamientos correctos. Tu mente es muy manipulable, solo tienes que cambiar lo que te dices a ti mismo, crear programas que sean satisfactorios para ti. Por ejemplo, cuando tienes miedo a algo, entrena a tu mente para cada que le sientas miedo lo veas como algo insignificante o incluso que eres una persona valiente. Puedes hacer esto con cualquier cosa y estado en tu vida. Eso sí, tienes que tenerte paciencia, porque intentas cambiar cosas que has llevado durante toda tu vida, así que puede llevarte tiempo.

Ya hemos sido programados para ver el mundo de una manera y ser otros seres. Está en ti si deseas que una programación errónea, que solo provoca sufrimiento, sea la que rija tu vida, tus acciones, tu estado de ánimo y a ti mismo. Es sencillo, somos seres que aprendemos por repetición; observa qué pensamientos son los que más se repiten en tu cabeza y cámbialos por otros que te beneficien realmente. Tienes el control, puedes conseguir lo que sea que te propongas.

Llena tu mente de lo que quieres ser y cómo quieres que sea tu vida. Si te limitas a ser lo que eres ahora, te cierras las puertas a un mundo lleno de posibilidades maravillosas. Si piensas que el mundo está en tu contra, lo estará. Si piensas que todo te sale mal así será. Si piensas que eres una persona odiosa, eso es lo que serás. Si crees que eres alguien tímido, ¿qué crees?, no serás alguien extrovertido. Tú pones tus propios límites en la vida, nadie más y si alguien trata de ponértelos, es porque tú le das el poder a ellos sobre ti.

No te rindas. Yo creo en ti y es hora de que también creas en ti mismo, porque el único que puede hacer algo por ti eres tú. No importa cuánta gente quiera cosas buenas para ti, que cambies hábitos autodestructivos o mejores tu vida, si tú no quieres lo mejor para ti, no vale de nada.

Es una gran satisfacción y también es un gran peso el saber esto: que solo tú eres el responsable de tu destino. Te devuelve el poder que creías que no tenías, y en parte te da una sensación de paz. Nada de este mundo puede definirte, solo tú. Como te veas te verá el mundo; lo que tú creas sobre ti y sobre tu vida eso tendrás. Eres capaz de cosas maravillosas, cree en ti. Cada que quieras algo de ti o del mundo no pienses en que no puedes. Si alguien más fue capaz de conseguirlo, ¿por qué tú no?

Tus palabras se convierten tu realidad. Lo que te dices diariamente, lo que haces, lo que ves, de lo que te inspiras, eso reproduce en tu mente los pensamientos e ideas. Rodéate de cosas y personas positivas; eso será una pequeña ayuda para reconstruirte y a tu mundo. Tal vez no es tanto reconstruirte, más bien descubrir a tu verdadero ser.

No veas noticias que solo te quitan la esperanza del mundo. Los chismes, el odio y las personas siempre tienen algo malo que decir. Alguien me dijo alguna vez que lo malo siempre es más ruidoso que lo bueno. Y al final, creemos que eso es lo único que existe, porque es lo único que hemos visto, pero no es la única realidad. Rodéate de lo que quieres y aléjate de lo que no te hace bien.

Pon las reglas de tu propio universo. Así quitas la influencia externa y te conviertes en lo que tú deseas, sin que nadie más tenga ese control sobre ti. Yo creo en ti y en que puedes lograr y ser lo que sea que te propongas. Ahora solo hace falta que también tú creas en ti mismo. Y aquí estoy, porque alguien alguna vez también creyó en mí, tratando de darte la mano que me dieron alguna vez.

Mi hermana alguna vez me dijo que sigue teniendo esperanza en el mundo, porque todas las cosas bellas, cosas que le gustan, todo lo que la ha inspirado y ayudado, han sido hechas por personas, por alguien más, como tú y como yo. Así que nunca te rindas, haz lo que amas y ríe cada día más.

"No hay poder afuera de la mente del hombre que pueda afectar al hombre" (Neville Goddard).

Capítulo 8

El sentido de la existencia

La vida es un viaje maravilloso. Para algunos puede ser largo y para otros puede acabar en un pestañeo. Cada uno de nosotros vive una experiencia única. Experimentamos nuestra propia felicidad y atravesamos nuestras propias piedras en el camino. Algunos corren toda su vida detrás de algo, para luego sentirse vacíos cuando lo consiguen; otros aprovechan el viaje y se dan cuenta de la belleza a su alrededor.

Si acaso tenemos un propósito, creo que es indescifrable, porque a cada uno nos toca vivir vidas tan diferentes, y no solo eso, cada uno de nosotros siente, vive y aspira a cosas únicas. Creo que no hay nadie en este mundo que tenga la respuesta. ¿Quién podría, acaso, tener ese peso enorme de decidir el sentido de nuestra vida? Descubrir cuál es el propósito de cada ser individual y qué es lo que deberíamos lograr como especie, es el mayor acertijo de todos los tiempos.

Vivimos la vida tratando de buscarle un sentido. Como humanidad, nos hemos construido ciudades, tecnologías, civilizaciones; hemos llegado a la Luna y aun así no podemos responder la pregunta más difícil de todas. ¿Por qué o para qué existimos? Buscamos tan desesperadamente encontrar ese algo, encontrar esa verdad, que nos olvidamos de lo más importante de todo, que es vivir.

Tratamos de darle tanta lógica, descubrir cualquier cosa que nos haga sentir que tenemos un sentido. Cuando encontramos algo, creemos tan fielmente en ello y fundamentamos cada parte de nuestra vida en esa teoría. Podemos llegar a un punto en que nos volvemos esclavos de todo lo que creemos que nos da sentido. Nos volvemos esclavos del trabajo, nos volvemos esclavos del dinero, nos volvemos esclavos de la religión, nos volvemos esclavos de la fama, esclavos de la sociedad y la opinión pública. Creemos que eso es la verdad, que es lo único que hay y que existe.

El mundo, el conocimiento y lo que consideramos que es la verdad, son todos como una cueva oscura. Está llena de piedras preciosas que brillan y reflejan la luz por todo el alrededor, pero esa luz solo es un reflejo, no son la fuente. Nos distraemos tanto en ver cuál es más verdadera que la otra y al final ninguna lo es, o quién sabe tal vez en cada reflejo precioso existe un toque de la realidad reflejada.

No tenemos tanto tiempo como para obsesionarnos tanto con saber quién es el que tiene la razón. Somos como las estrellas fugaces, todos pasamos e iluminamos el cielo, pero al final todos nos desvanecemos, individual y colectivamente. Al tratar de buscarle una razón, nos perdemos de la oportunidad de estar aquí. Mirando a los alrededores, nos perdemos el centro de todo, eso que ha estado siempre en nosotros, dentro de cada uno.

Creo que la vida se trata de descubrir qué te hace querer estar vivo. Nuestros anhelos, el amor, la alegría, lo que nos hace traer la felicidad y el disfrute de todo a nuestro alrededor. Sea lo que sea, cambie o sea duradero, lo que tú elijas del mundo y lo que tú quieras que sea, será para ti. Lo que me da felicidad a mí, puede que a ti no te guste y viceversa. Por eso, no puedo imponerte vivir a mi manera; es algo que solo tú eliges. Encuentra la verdad en cada experiencia, cada libro, cada cosa que descubras y adapta todo lo que creas que te hará bien y te hará mejor persona.

No hay nada más precioso en la vida que la paz, hacer lo que te hace feliz, disfrutar de los momentos de la existencia con las personas que amas y encontrarte a ti mismo en todas esas cosas maravillosas. Levantarte cada día y dar gracias porque tienes la oportunidad de estar vivo, saber que mientras estés vivo todo es posible en este mundo, mientras aún puedo, tengo esperanzas.

En la vida, nuestras metas, propósitos o sentidos, como quieras llamarlos, irán cambiando, así como nosotros. Creo que el punto está en encontrar lo que nos hace feliz individualmente y disfrutarlo en cada etapa que vivamos. El punto de todo, tal vez gire alrededor del amor hacia nosotros mismos, hacia nuestros seres queridos o hacia lo que amamos hacer. Amar intensamente todo lo que nos rodea y mirar la vida como algo maravilloso.

Quizás nunca descubramos por qué estamos vivos; tal vez fuimos una casualidad maravillosa, creados por un Dios supremo, algo totalmente planeado por el destino, evolución o desarrollo. Depende de lo que cada uno decida creer. Aun así, creo que existen fuerzas superiores a la humanidad. Las vemos en todas partes, en el aletear de un ave, en el inmenso cielo sobre nuestras cabezas, en el amor que existe entre nosotros, en una tormenta, en la fuerza del océano; en cada pequeña cosa de este mundo, existe algo increíble.

Esta vida tal vez no sea para buscarle el porqué. Al fin y al cabo, lo más importante es apreciar y disfrutar lo que tenemos. Si te doy un regalo, no me preguntes por qué te lo regalé. Solo disfruta de él, el sentido que tenga solo se lo darás tú, porque ahora es tuyo. Cada uno de nosotros debe descubrir su propio camino, sus propias experiencias y deseos. Y lo que te haga feliz a ti, ¿no? Sin buscar lo que el mundo esperé que busques, más bien hacia donde tu corazón te guie.

Pero no te estreses mucho por encontrar algo, a veces puedes ver esa belleza en lo más sencillo de la vida, como tomar una taza de café, reír con alguien al que amas, un abrazo, ver un lindo paisaje, sentir el viento, mirar las estrellas… Todas esas pequeñas cosas que a veces no notamos ni apreciamos lo suficiente.

La vida está hecha simplemente para vivirla, para aprovechar cada experiencia, cada momento, para sentir intensamente todo lo que esta conlleva. Todo de ella es maravilloso, lo bueno y lo malo. Todo lo que hemos pasado, lo que hemos conseguido y vivido, todo ello nos ha llevado a este preciso instante en el tiempo en el que somos nosotros, en el ahora. Somos parte de todo.

No creas todo lo que dicen que debería ser importante para ti, solo tú defines lo que realmente vale en tu propia vida. La sociedad solo se encarga de crear personajes para que cumplan un papel en el mundo. Los políticos siempre serán políticos, abogados, médicos, ladrones, empresarios, estafadores, ricos, pobres, licenciados, de todo.

No digo que esté mal buscar una profesión o tenerla. Lo que está mal es identificarte con ella, como si fuera todo lo que eres, como fuera lo único que vale en tu vida. ¿Está toda tu vida basada en ello, es todo lo que eres y serás? ¿Qué hay para ti, además de lo que le ofreces al mundo? Quién o qué eres es tu decisión y nada externo puede definirte, eres mucho más grande que todo eso. A lo que te dedicas no te define como ser, como persona.

Nadie puede definir nunca si una vida vale más que otra y lo que haces realmente no define tu valor. Nadie es mejor que nadie, todos somos iguales. Solo tú puedes definirte a ti mismo. Las personas famosas, todas las personas de distintos niveles sociales, los líderes del mundo, cualquier persona a la que idealices, cualquiera que creas que está por encima de ti, nadie es más valioso que tú.

Todos somos iguales, con nuestras vidas y problemas. Lo único que nos diferencia es el juego del destino: nacer en otros países, nacer en mejores ambientes económicos, personas que han logrado hacerse conocidos por lo que hacen, pero no creo que eso les dé más valor. Si somos lo mismo en esencia, estamos compuestos de la misma materia y formación.

Es como cuando éramos niños e idealizábamos a alguien que era mayor que nosotros. Desde nuestra perspectiva, era alguien increíble, perfecto, y anhelábamos ser como ellos. Pero quizás ese alguien ni sabía qué hacer con su vida, pasaba por muchos problemas y tal vez todo en sí era un desastre. Ya como adultos, nos damos cuenta de que nos convertimos en ese ser, que creíamos tan perfecto, independiente y que tenía una vida maravillosa y resuelta.

Nos dimos cuenta de que estamos perdidos, que sentimos que debemos ser más, lograr más, conseguir más... Vivimos tratando de ser seres dignos de poder tener derecho a vivir.

Cada uno de nosotros intenta encontrar su propio camino, en todas las edades y épocas de nuestra vida.

Somos lo mismo. Cada uno de nosotros tiene la capacidad de ser felices, como también de sufrir. Cada uno de nosotros, sin importar quiénes seamos, buscamos tener un propósito.

Sé que tal vez esperabas que te diera alguna fórmula de cómo vivir o cuál es el sentido verdadero de la vida, pero lo siento, no soy quien, para decírtelo, ni nadie más puede hacerlo. Solo tú puedes decidir qué te hace querer vivir a ti.

Tal vez, descubriéndote a ti mismo, mirando el mundo por lo que realmente es, no por lo que aparenta ser, te dará nuevas perspectivas y se abrirán nuevos caminos que podrás explorar por ti mismo. Y quizás algunos caminos ya han sido pisados por otros, pero eso no los hace menos emocionantes; de eso se trata, aprender de otros y crear los nuestros.

Así que no tengas miedo de nada, arriésgate a disfrutar de experiencias únicas, a vivir intensamente cada parte de esta maravillosa existencia. Y si ahora no crees que nada tiene mucho sentido, no te rindas, porque todo acaba, incluso el sufrimiento, y el sol siempre vuelve a salir para darnos nuevas esperanzas.

No te desesperes por el futuro, porque ese en su tiempo vendrá; no sufras el pasado porque ese ya se acabó. Disfruta del ahora, que es lo único que importa, es en el único momento en el que sabes que estás vivo. Si algo del ahora te inquieta, es tu oportunidad de cambiarlo. No te rindas, porque no sabes los giros inesperados que puede dar tu vida y las cosas maravillosas que podrías perderte por no atreverte a vivir.

"La vida no tiene sentido, se lo das tú, con lo que hagas, con lo que te apasiones, con tus ilusiones. Tú construyes el universo a tu medida."
-Walter Riso